EMBI
TRAN

DÉCOU
DIEU AU-DELÀ DES
CROYANCES

ALAIN LEA

Publié par Christ In All Nations Publishing
Granger, Indiana 46530, États-Unis.

Imprimé aux États-Unis d'Amérique

Pour toute demande d'autorisation, écrivez à l'éditeur à l'adresse ci-dessus, ou contactez : infos@christinallnations.org ou www.christinallnations.org

Embrasser la tranquillité : Découvrir la paix de Dieu au-delà des croyances

Alain Lea
1. Spiritualité et foi
2. Résolution des conflits et rétablissement de la paix
3. Croissance et développement personnel
4. Pratiques de pleine conscience et de méditation

TABLE DES MATIÈRES

CHAPITRE UN

CHAPITRE DEUX

PRÉFACE

*D*ans un monde souvent marqué par la division, le chaos et la recherche incessante de réconfort, le concept de paix devient une aspiration universelle, un murmure au milieu de la clameur de notre existence. Nous la recherchons dans nos relations, dans nos entreprises et au plus profond de notre âme. Pourtant, la paix semble insaisissable, un mirage fugace dans le désert des incertitudes de la vie.

Ce livre, "Embrasser la Tranquillité : Découvrir la paix de Dieu au-delà des croyances", se présente comme un guide dans cette quête de la paix - un voyage qui n'est pas limité par les frontières de la foi ou les limites des doctrines religieuses. Il s'agit plutôt d'une exploration d'une vérité profonde, à savoir que la paix de Dieu transcende les limites des structures religieuses, embrassant tout cœur en quête de paix, indépendamment de ses antécédents ou de ses croyances.

Dans ces pages, nous nous embarquons pour un pèlerinage - un pèlerinage qui ne se limite pas aux lieux saints ou aux textes sacrés, mais qui traverse les paysages des diverses expériences humaines. Il s'agit d'une odyssée tissée de récits d'individus d'horizons divers, tous à la recherche de la même insaisissable tranquillité - une paix qui apaise les tempêtes intérieures, quelles que soient leurs appartenances culturelles, leurs tendances spirituelles ou leurs convictions religieuses.

Nous nous penchons sur l'essence de la paix de Dieu - une paix qui dépasse l'entendement du monde, qui se dresse comme un sanctuaire inébranlable au milieu des turbulences de la vie. C'est une paix qui ne se contente pas de calmer les tempêtes extérieures, mais qui ancre l'âme face aux incertitudes, une paix qui murmure l'espoir quand le monde crie au chaos.

Ce livre n'est pas une thèse doctrinale ou un discours théologique. C'est une étreinte, un geste d'inclusion qui invite les chercheurs et les sceptiques, les croyants et les sceptiques, à prendre part à la profonde révélation d'une paix qui transcende les limites humaines.

Au fil des pages, nous sommes témoins de la beauté de la diversité - diversité des croyances, des expériences et des perspectives - qui s'entremêle pour révéler une vérité universelle : la paix de Dieu n'est pas une possession exclusive, mais une invitation ouverte à tous les cœurs qui la recherchent.

Puisse ce livre servir de boussole pour vous guider dans le labyrinthe des complexités de la vie, en éclairant le chemin vers une paix globale - une paix qui attend, appelant chaque âme à embrasser sa divine tranquillité.

Alors que nous entreprenons ensemble ce voyage, puisse la sagesse partagée dans ces pages dévoiler la beauté de la paix de Dieu, nous unissant dans une quête commune du profond réconfort qui transcende les frontières et fait écho dans chaque cœur en quête.

Alain Lea

INTRODUCTION

La recherche de la paix est une aspiration universelle, un désir inné tissé dans la trame de notre existence. Nous aspirons à une tranquillité qui apaise la clameur de nos vies trépidantes, à un répit dans le chaos qui nous entoure. Cependant, la paix que nous recherchons souvent reste insaisissable, soumise aux caprices des circonstances extérieures et fugaces dans sa présence. C'est un état fragile, facilement perturbé par le tumulte du monde.

Pourtant, au-delà de la paix éphémère que nous recherchons, il existe une sérénité profonde et inébranlable : la paix de Dieu. Cette tranquillité divine transcende l'entendement humain, offrant un refuge durable même au milieu des tempêtes de la vie. Enracinée dans une confiance et une foi profondes, elle devient un point d'ancrage pour l'âme, offrant un réconfort qui surpasse l'agitation du monde extérieur.

Cette paix transcendante rappelle la promesse que Jésus a faite à ses disciples, une promesse qui résonne à travers le temps et les circonstances : "Je vous laisse la paix, je vous donne ma paix" (Jean 14:27). C'est une paix qui dépasse la simple absence de conflit - c'est une assurance profondément ancrée, un sentiment d'harmonie qui réside à l'intérieur, indépendamment du chaos qui peut régner à l'extérieur.

La recherche de cette paix divine implique un voyage intérieur, une quête pour cultiver la foi, la confiance et l'abandon, pour se laisser envelopper par une paix qui ne dépend pas des conditions extérieures. Il s'agit de réaliser qu'au milieu des bouleversements et des incertitudes de la vie, il reste un sanctuaire inébranlable à l'intérieur - la paix de Dieu - auquel on peut accéder par la foi et par un lien au-delà du domaine temporel.

Dans cette quête, on découvre que la véritable paix n'est pas simplement l'absence de chaos, mais plutôt un sanctuaire intérieur qui reste inébranlable même au milieu des tempêtes de la vie - un sanctuaire offert par une puissance supérieure, qui nous invite à faire l'expérience d'une tranquillité qui surpasse tout entendement.

Embrasser la tranquillité : Découvrir la paix de Dieu au-delà des croyances...

Chapitre

UN

LE SENS DE LA PAIX DE DIEU

UNE SÉRÉNITÉ CÉLESTE

*L*a paix de Dieu, souvent décrite dans les Écritures sous le nom de "shalom", va bien au-delà de l'absence de conflit ; elle représente un état de plénitude et de complétude profondes, enraciné dans une relation profonde avec le divin. Elle transcende les limites de la compréhension du monde, offrant une tranquillité qui atteint le cœur de l'être, apaisant l'âme et apportant un sentiment d'harmonie et d'abondance.

Dans la Bible, le concept de shalom est chargé de sens, décrivant une paix qui dépasse la simple tranquillité ou l'absence de querelles. Il incarne un bien-être holistique, un état dans lequel chaque aspect de la vie est complet et sain. C'est une tranquillité qui va au-delà des circonstances éphémères, qui stabilise l'esprit et le cœur, même dans la tourmente.

La paix de Dieu fonctionne comme une ancre profonde dans la vie des croyants, apportant un sentiment d'assurance et de confiance au milieu des épreuves de la vie. C'est le genre de paix qui permet de déclarer, même dans les moments les plus difficiles : "Tout va bien pour mon âme". Cette déclaration n'est pas seulement une affirmation d'espoir, elle témoigne de la sérénité inébranlable qui découle d'un lien profond avec le divin.

La beauté de la paix de Dieu réside dans sa nature globale. Elle s'étend au-delà de l'agitation du monde, atteignant les recoins les plus profonds de l'esprit humain, contrôlant les pensées, calmant les peurs et offrant un sentiment de plénitude qui ne peut être ébranlé par les circonstances extérieures.

Cette paix est magnifiquement décrite dans le livre d'Ésaïe : "Tu gardes dans une paix parfaite celui dont l'esprit est fixé sur toi, parce qu'il se confie en toi" (Ésaïe 26:3). Ici, le verset parle d'une paix qui naît de la confiance et de la concentration inébranlable sur Dieu - une paix qui transcende le chaos du monde en ancrant l'esprit et l'âme dans la sérénité divine.

Adopter la paix de Dieu, c'est s'abandonner à cette tranquillité divine et lui permettre d'imprégner tous les aspects de la vie. C'est un voyage permanent de confiance, de foi et de prospérité spirituelle qui apporte un profond sentiment de plénitude et d'intégralité que l'on ne trouve que dans une relation avec le Créateur.

TROUVER LA PAIX EN DIEU

UNE ÉTREINTE AMOUREUSE

*L*a découverte de la paix en Dieu n'est pas une quête enveloppée de mystère ; c'est un voyage ouvert à tous ceux qui recherchent un lien profond et personnel avec leur Père céleste. Jésus lance une invitation ouverte, nous exhortant : "Venez à moi, vous tous qui êtes fatigués et chargés, et je vous donnerai du repos" (Matthieu 11:28). Cette promesse résume l'accessibilité de la paix de Dieu à toute personne désireuse de s'embarquer dans ce voyage transformateur.

La recherche de la paix de Dieu commence par un cœur humble et sérieux, reconnaissant nos limites tout en reconnaissant la suffisance illimitée de Dieu. Elle implique une connexion intime - une main tendue vers le divin, cherchant le réconfort et le repos dans sa présence.

Trouver la paix en Dieu, c'est relâcher l'emprise du contrôle et remettre notre vie, nos peurs et nos soucis entre ses mains. C'est un acte de confiance profond, ancré dans la certitude de l'amour illimité et de la sagesse parfaite de Dieu. Cet abandon n'est pas un signe de faiblesse, mais un pas courageux vers l'acceptation de la souveraineté d'une puissance supérieure, même lorsque les mystères de ses voies échappent à notre compréhension.

Les Écritures nous rassurent dans Philippiens 4:6-7 : "Ne vous inquiétez de rien ; mais en toute circonstance, présentez à Dieu vos demandes par des prières et des supplications, avec des actions de grâces. Et la paix de Dieu, qui surpasse toute intelligence, gardera vos cœurs et vos pensées dans le Christ Jésus". Ce passage souligne le pouvoir transformateur de l'abandon et de la confiance dans la paix de Dieu qui dépasse l'entendement humain.

La confiance en Dieu au milieu des incertitudes de la vie devient la pierre angulaire de ce voyage. Cela implique de renoncer à notre besoin de compréhension, d'embrasser ses plans insondables et de s'abandonner à son calendrier. C'est reconnaître que ses voies dépassent notre compréhension limitée, mais que ses intentions sont toujours ancrées dans l'amour et la bonté.

La paix de Dieu attire ceux qui cherchent un refuge contre le chaos du monde - un refuge qui ne se trouve pas dans l'évitement ou la fuite, mais dans une connexion profonde et inébranlable avec le divin. C'est une paix qui n'élimine pas les défis, mais qui nous donne les moyens de les affronter avec un esprit résistant et une confiance inébranlable en Celui qui tient toutes choses entre ses mains.

Le chemin qui mène à la paix de Dieu est pavé d'humilité, de confiance et d'une foi inébranlable en sa présence inébranlable. C'est un voyage marqué par une reddition continuelle, un abandon de nos fardeaux sur les épaules aimantes d'un Dieu qui nous invite à entrer dans son étreinte de paix sans fin.

ACCUEILLIR LA PAIX DE DIEU

CONFIANCE, ABANDON ET FOI

*L*a paix de Dieu repose sur un(e) triumvirat (alliance/union) de vertus : la confiance, l'abandon et la foi. Ces trois facettes s'entrecroisent pour former le fondement même de la paix de Dieu. La confiance en Dieu exige une croyance inébranlable en sa bonté, sa souveraineté et sa nature immuable. C'est une assurance résolue qu'en dépit du chaos qui nous entoure, il reste inébranlable et fidèle.

S'abandonner à Dieu, c'est renoncer à nos vaines tentatives de contrôler le cours de la vie et embrasser son plan divin plutôt que nos propres désirs. Il s'agit de relâcher notre emprise sur le volant de la vie et de permettre à Sa sagesse de guider nos chemins. Ce n'est pas un signe de faiblesse, mais un acte de courage - un choix conscient de lâcher prise et de laisser Dieu agir.

La foi est l'adhésif qui lie la confiance et l'abandon. C'est la décision consciente de croire aux promesses de Dieu, même lorsque les circonstances semblent contradictoires. Le passage de l'épître aux Hébreux (11:1) résume parfaitement l'essence de la foi : "La foi, c'est la confiance en ce que nous espérons et l'assurance de ce que nous ne voyons pas." C'est l'assurance que ce que Dieu a promis, il l'accomplira, même si la réalité présente ne s'y aligne pas.

Lorsque nous faisons confiance de tout cœur aux promesses de Dieu, que nous abandonnons nos vies à ses soins affectueux et que nous nous accrochons fermement à la foi, nous ouvrons les vannes pour que sa paix parfaite se déverse en cascade sur nous. Dans cet abandon et cette confiance, nous trouvons des échos de la profonde affirmation de Paul : "La paix de Dieu, qui surpasse toute intelligence, gardera vos cœurs et vos esprits dans le Christ Jésus" (Philippiens 4:7).

Cette paix divine n'est pas simplement une émotion fugace ou une solution temporaire. C'est un état profond de tranquillité qui transcende l'entendement humain, enveloppant nos cœurs et nos esprits d'une étreinte protectrice au milieu des tempêtes de la vie. C'est une paix qui monte la garde, nous protégeant de l'anxiété et de la peur, alors que nous nous reposons dans l'assurance de l'amour et de la souveraineté inébranlables de Dieu.

Embrasser la paix de Dieu par la confiance, l'abandon et la foi n'est pas un événement ponctuel ; c'est un voyage continu - un choix délibéré que nous faisons chaque jour pour nous appuyer sur sa grâce, en permettant à sa paix d'imprégner chaque facette de notre vie.

VERSETS SUR LA PAIX DE DIEU

PERSPECTIVES BIBLIQUES

*E*xplorer la paix de Dieu à travers les versets de l'Écriture, c'est un peu comme démêler une tapisserie tissée d'assurances divines. Dans ces textes sacrés, les croyants trouvent une tapisserie de promesses qui affirment le calme inébranlable de Dieu au milieu des tempêtes tumultueuses de la vie.

Dans le Psaume 29:11, nous trouvons une déclaration retentissante : "L'Éternel donne la force à son peuple, l'Éternel bénit son peuple par la paix." Ce verset est une lueur d'espoir, car il nous assure que la force de Dieu contient le don de la paix - une paix qui transcende les circonstances, offrant réconfort et sérénité à ceux qui cherchent refuge en lui.

Dans Jean 16:33, Jésus transmet à ses disciples et à tous ceux qui le suivent des paroles de réconfort durable : "Je vous ai dit ces choses, afin qu'en moi vous ayez la paix. Dans ce monde, vous aurez des problèmes. Mais prenez courage ! J'ai vaincu le monde." Ces paroles profondes sont une source d'encouragement, reconnaissant les défis inévitables de la vie tout en offrant une assurance inébranlable de la paix trouvée en Christ. Elles nous rappellent qu'en dépit de l'agitation du monde, sa victoire procure une paix durable qui surpasse tout entendement.

Tout au long de la Bible, la paix de Dieu est décrite comme un aspect fondamental de son caractère - une paix qui reste inébranlable face au chaos du monde. Le verset 26:3 d'Ésaïe résume parfaitement cette idée : "Tu maintiens dans une paix parfaite ceux dont l'esprit est ferme, parce qu'ils se confient en toi". Ce verset met en évidence la corrélation entre la confiance et la paix, soulignant qu'une confiance inébranlable en Dieu permet d'expérimenter sa paix parfaite, une paix qui demeure ferme au milieu des incertitudes de la vie.

Dans Philippiens 4:6-7, les croyants sont encouragés : "Ne vous inquiétez de rien, mais en toute circonstance, présentez à Dieu vos demandes par des prières et des supplications, avec des actions de grâces. Et la paix de Dieu, qui surpasse toute intelligence, gardera vos cœurs et vos pensées dans le Christ Jésus". Ce passage souligne le pouvoir transformateur de la prière et de la gratitude en invitant la paix de Dieu à garder nos cœurs et nos esprits, dépassant l'entendement humain.

La paix de Dieu, telle qu'elle est décrite dans ces versets, n'est pas simplement une absence de troubles, mais une présence profonde - un calme inébranlable offert à ceux qui se confient en lui, recherchent ses conseils et ancrent leur foi dans ses promesses. C'est une paix qui surpasse la tranquillité éphémère du monde, offrant un sanctuaire de sérénité dans l'étreinte de l'amour et de la grâce divins.

LES BIENFAITS DE LA PAIX DE DIEU

HARMONIE HOLISTIQUE

*L*e fait de nous immerger dans la paix de Dieu, comme le mentionne Philippiens 4:7 ("La paix de Dieu, qui surpasse toute intelligence, gardera vos cœurs et vos pensées dans le Christ Jésus"), a un effet d'ancrage profond dans les périodes tumultueuses. Cette paix agit comme un fondement inébranlable, permettant à notre foi de rester ferme au milieu des tempêtes de la vie (Matthieu 7:24-25). C'est un refuge inébranlable, qui nous permet de surmonter les épreuves les plus rudes sans perdre notre confiance dans les promesses de Dieu.

Cette paix divine, enracinée dans le caractère de Dieu (Ésaïe 26:3), insuffle en nous un courage et une force indomptables (Josué 1:9), transformant notre perspective sur les incertitudes de la vie. Même face à l'adversité, elle confère un contentement serein et une joie inébranlable, quelles que soient les circonstances extérieures (Jean 16:33).

Au-delà de ses implications spirituelles, la paix de Dieu a un impact significatif sur notre bien-être mental et émotionnel. Romains 15:13 mentionne comment Dieu nous remplit de joie et de paix lorsque nous nous confions en lui, ce qui nourrit notre résilience et notre vigilance. Cette paix sert de catalyseur à une vision positive de la vie, favorisant la clarté mentale et la stabilité émotionnelle (Ésaïe 32:17).

En outre, l'influence de la paix de Dieu s'étend à nos relations, nous incitant à cultiver l'harmonie et l'unité (Éphésiens 4:3). En tant qu'artisans de paix (Matthieu 5:9), nous portons cette paix divine en nous, favorisant des environnements de réconciliation et de compréhension dans nos communautés. Elle nous permet de gérer les conflits avec grâce et compassion, ouvrant la voie à la guérison et à la restauration (Colossiens 3:15).

Par essence, la paix de Dieu, telle qu'elle est décrite dans Philippiens 4:7, est holistique. Elle transcende le domaine spirituel, imprégnant nos sphères mentales, émotionnelles et relationnelles. Cette paix, un don de Dieu lui-même, a le pouvoir de transformer l'harmonie qui règne en nous et de l'irradier dans le monde qui nous entoure.

PRIÈRES POUR LA PAIX DE DIEU

CONVERSATIONS AVEC LE DIVIN

*L*es prières sont des moments cruciaux de notre cheminement spirituel, facilitant une communion intime avec Dieu, invitant sa paix dans tous les recoins de notre vie. Elles sont le canal par lequel nous mettons nos âmes à nu, exprimant nos incertitudes et faisant écho à notre désir ardent de trouver la tranquillité réconfortante de Sa présence.

Dans la sagesse de l'apôtre Paul, nous trouvons des conseils sur la vie dans la prière, car il assure les croyants de ses résultats en matière de paix : "Ne vous inquiétez de rien, mais en toute circonstance, présentez à Dieu vos demandes par des prières et des supplications, avec des actions de grâces. Et la paix de Dieu, qui surpasse toute intelligence, gardera vos cœurs et vos esprits dans le Christ Jésus" (Philippiens 4:6-7). Les paroles de Paul soulignent le pouvoir de transformation de la prière, mettant en évidence sa capacité à instaurer une paix qui dépasse l'entendement humain, une paix qui sert de gardien à nos cœurs et à nos esprits.

Par la prière, nous nous engageons dans une conversation sacrée avec le Divin - un dialogue où nous déversons nos cœurs, nos désirs et nos peurs, et où nous apprenons à écouter les doux murmures de Dieu qui nous guide et nous rassure. Jésus lui-même a illustré l'importance de la prière, en se retirant souvent pour communier avec son Père dans des moments de solitude et en recherchant les conseils divins (Luc 5:16).

Dans le livre des Psaumes, nous sommes témoins des appels sincères du psalmiste à la paix et au refuge en Dieu : "Je me couche et je dors en paix, car toi seul, Éternel, tu me fais habiter en sécurité" (Psaume 4:8). Ce verset fait écho au sentiment qu'en abandonnant nos soucis et en recherchant la présence de Dieu, nous trouvons un lieu tranquille de repos et de sécurité.

Les prières pour la paix ne se limitent pas à des rituels structurés, mais s'étendent aux moments de notre vie quotidienne. Elles peuvent être murmurées dans le chaos de la journée ou exprimées dans les aspirations silencieuses du cœur, reconnaissant notre dépendance à l'égard d'une puissance supérieure et nous ouvrant à la paix divine qui surpasse toute compréhension.

Dans ces moments de communion avec le Divin, nos cœurs trouvent le réconfort, nos esprits la clarté, et nos esprits se réfugient dans la tranquillité illimitée offerte par Dieu. Grâce aux prières, nous établissons un lien plus profond avec le Tout-Puissant - un lien qui devient une source de force et de sérénité au milieu des épreuves et des tribulations de la vie.

FAIRE L'EXPÉRIENCE DE LA PAIX INTÉRIEURE AVEC DIEU

UN PARCOURS PERSONNEL

*L*a découverte de la paix en Dieu n'est pas une notion lointaine confinée aux enseignements religieux ; il s'agit d'une expédition intime et profondément personnelle de révélation, de transformation et d'évolution spirituelle. Chaque croyant parcourt ce chemin de manière unique, rencontrant la sérénité de Dieu de diverses manières et faisant l'expérience de la profonde tranquillité qu'elle confère à l'âme.

Ces rencontres avec la paix de Dieu découlent souvent d'épreuves personnelles, où sa fidélité se révèle indubitablement. Dans les moments d'épreuve, sa présence devient palpable, offrant une paix qui transcende le chaos, une paix magnifiquement exprimée dans Ésaïe 41:10 : "Ne crains pas, car je suis avec toi ; ne sois pas effrayé, car je suis ton Dieu. Je te fortifierai, je te secourrai, je te soutiendrai par ma droite juste".

En outre, ces expériences peuvent s'épanouir dans des moments de réflexion solitaire - un calme où le bruit du monde s'estompe, permettant aux murmures de la paix de Dieu de résonner à l'intérieur. Le psalmiste exprime ce sentiment dans le Psaume 46:10 : "Soyez tranquilles, et sachez que je suis Dieu ; je serai exalté parmi les nations, je serai exalté sur la terre".

La nature elle-même devient une toile de révélation divine, inspirant la crainte et nous rappelant la grandeur et la bonté du

Créateur. Romains 1:20 souligne magnifiquement ce lien entre la création de Dieu et ses attributs : "En effet, depuis la création du monde, les qualités invisibles de Dieu, sa puissance éternelle et sa nature divine, apparaissent clairement, étant comprises dans ce qui a été fait, de sorte que les hommes n'ont pas d'excuse."

Dans l'étreinte des paysages impressionnants de la nature, on trouve souvent un sentiment de sérénité qui fait écho à l'essence paisible du Créateur. Ces moments deviennent des rencontres sacrées, où la paix du Créateur imprègne le tissu même de l'existence, offrant un réconfort et réaffirmant sa présence éternelle.

Ce cheminement personnel vers la paix intérieure avec Dieu est une tapisserie tissée à partir de divers fils d'expériences, une mosaïque d'épreuves, de réflexions et de rencontres avec le divin. C'est dans ces moments que les croyants découvrent la profonde vérité dont parle Philippiens 4:7 : "La paix de Dieu, qui surpasse toute intelligence, gardera vos cœurs et vos esprits dans le Christ Jésus." Cette paix, trouvée grâce à des révélations personnelles, devient une ancre inébranlable, gardant les cœurs et les esprits au milieu des flux et des reflux de la vie.

LA PAIX DE DIEU :

UN BASTION DANS LES MOMENTS DIFFICILES

*U*ne des vérités les plus profondes sur la paix de Dieu est sa présence inébranlable, en particulier dans les moments les plus difficiles de la vie. Il ne s'agit pas simplement d'une émotion fugace qui disparaît au milieu de la tourmente ; au contraire, elle se dresse comme une forteresse inébranlable, une forteresse pour nos âmes. La paix de Dieu ne se laisse pas intimider par les tempêtes, mais devient au contraire l'ancre qui nous stabilise au milieu des mers agitées.

Cette assurance ne signifie pas que les épreuves ne viendront pas, mais elle garantit qu'au milieu de ces épreuves, la paix de Dieu reste un compagnon inébranlable. Elle nous rassure sur le fait que ces tempêtes ne sont pas des indicateurs de son absence, mais des occasions de son intervention et de la révélation de sa grâce durable.

Dans la promesse qu'il fait en Jean 14:27, Jésus lègue à ses disciples un héritage de paix : "Je vous laisse la paix, je vous donne ma paix. Je ne vous la donne pas comme le monde la donne. Que vos cœurs ne se troublent pas et n'ayez pas peur". Il accorde ici une paix qui transcende la compréhension du monde - une paix qui ne dépend pas de circonstances favorables, mais qui est enracinée dans sa présence durable.

Cette paix divine ne nous met pas à l'abri de l'adversité ; au contraire, elle nous donne la force et le courage d'affronter les défis. C'est l'assurance que notre sécurité ne dépend pas de circonstances toujours changeantes, mais qu'elle est fermement ancrée dans la nature immuable de notre Dieu souverain.

L'apôtre Paul fait écho à ce sentiment dans Romains 8:38-39, affirmant la nature inébranlable de l'amour de Dieu et son rôle dans notre sécurité au milieu des épreuves : "Car j'ai l'intime conviction que ni la mort ni la vie, ni les anges ni les démons, ni le présent ni l'avenir, ni aucune puissance, ni la hauteur ni la profondeur, ni rien de ce qui existe dans toute la création, ne pourra nous séparer de l'amour de Dieu qui est dans le Christ Jésus notre Seigneur".

La paix de Dieu ne nous exempte pas des tempêtes de la vie ; au contraire, elle fortifie notre esprit, nous donnant les moyens de naviguer à travers les tempêtes avec une confiance inébranlable en sa présence infaillible. Dans le refuge de sa paix, nous trouvons la force d'endurer et le courage d'affronter chaque épreuve, sachant que nos âmes sont protégées par son étreinte inébranlable.

LA PAIX MENTALE GRÂCE À DIEU

L'ULTIME RÉCONFORT

*D*ans le paysage tumultueux de la vie, où le stress et les incertitudes sont omniprésents, la paix mentale devient un trésor inestimable. Ici, au milieu du chaos, la paix de Dieu apparaît comme le réconfort et le remède ultime.

La paix de Dieu opère comme une thérapie divine, à nulle autre pareille. Elle possède un pouvoir de transformation qui transcende l'entendement humain, offrant un réconfort qui calme nos pensées effrénées et allège le fardeau de nos angoisses. Cette tranquillité sereine n'est pas seulement un répit momentané ; c'est un état d'être profond - une paix qui surpasse les offres temporaires du monde.

Les paroles de Jésus dans Jean 14:27 résonnent profondément dans ce contexte : "Je vous laisse la paix, je vous donne ma paix. Je ne vous la donne pas comme le monde la donne. Que vos cœurs ne se troublent pas et n'ayez pas peur". Il présente ici une paix qui n'est pas soumise aux fluctuations du monde, mais qui perdure comme une ancre inébranlable pour nos âmes.

Cette paix divine nous libère de l'encombrement de l'esprit, offrant un sanctuaire où les soucis et les peurs trouvent un réconfort. C'est une invitation à faire l'expérience d'une tranquillité qui surpasse la simple absence d'agitation, une paix qui imprègne chaque recoin de notre être et reste inébranlable au milieu des tempêtes de la vie.

Philippiens 4:7 exprime parfaitement l'essence de cette paix divine : "La paix de Dieu, qui surpasse toute intelligence, gardera vos cœurs et vos esprits dans le Christ Jésus." C'est une paix qui veille sur notre esprit, nous protégeant des angoisses accablantes du monde et nous offrant un refuge serein dans la présence de Dieu.

Adopter la paix de Dieu ne signifie pas une absence de défis, mais plutôt un calme profond qui nous permet d'affronter ces défis avec une foi et une force inébranlables. C'est une paix qui devient notre sanctuaire, notre ancre au milieu des tempêtes de la vie, nous rappelant qu'en présence de Dieu, la paix mentale n'est pas seulement un moment fugace - c'est un état d'être durable.

LA PAIX DE DIEU CONTRE LA PAIX DU MONDE

UN CONTRASTE SAISISSANT

*L*a paix de Dieu contraste fortement avec la paix superficielle et éphémère offerte par le monde. La paix du monde repose souvent sur des circonstances éphémères - une absence de conflit, une prospérité temporaire ou des plaisirs momentanés. Cependant, cette paix est fragile, facilement perturbée par les sables mouvants des circonstances de la vie.

En revanche, la paix de Dieu est durable et profonde. Elle n'est pas liée à des conditions extérieures, mais elle est ancrée dans le monde spirituel et nourrie par une relation personnelle avec le Créateur. Jésus lui-même a souligné cette distinction dans Jean 16:33 : "Je vous ai dit ces choses, afin qu'en moi vous ayez la paix. Dans ce monde, vous aurez des difficultés. Mais prenez courage ! J'ai vaincu le monde." Il reconnaît ici l'inévitabilité des épreuves dans le monde, mais nous assure de son triomphe, offrant une paix qui transcende la compréhension du monde.

L'apôtre Paul souligne ce contraste dans Colossiens 3:15 : "Que la paix du Christ règne dans vos cœurs, puisque vous avez été appelés à la paix en tant que membres d'un seul corps. Et soyez reconnaissants." Cette paix ne dépend pas de facteurs extérieurs, mais découle du monde spirituel, gouverne nos cœurs et nous unit en harmonie les uns avec les autres.

La paix de Dieu prospère au milieu du chaos, nous soutient dans les épreuves et s'épanouit dans les profondeurs de la foi. C'est une paix qui soutient les croyants en toutes circonstances, comme le dit Philippiens 4:12-13 : "Je sais ce que c'est que d'être dans le besoin, et je sais ce que c'est que d'être dans l'abondance. J'ai appris le secret de la satisfaction en toute circonstance, que je sois bien nourri ou affamé, que je vive dans l'abondance ou dans le besoin. Je peux faire tout cela par celui qui me donne la force". Cette paix n'est pas dictée par l'abondance ou le manque extérieur, mais trouve son fondement dans la force immuable de Dieu.

Dans la tapisserie complexe de la vie, alors que le monde offre des moments de paix fugaces, la paix de Dieu reste une constante - une force transformatrice qui transcende la nature transitoire du monde, offrant une tranquillité profonde et durable à ceux qui cherchent refuge auprès du Créateur.

MAINTENIR LA PAIX DE DIEU

MAINTENIR LA SÉRÉNITÉ SPIRITUELLE

*L*e maintien de la paix de Dieu est un voyage permanent qui exige du dévouement et des choix délibérés alignés sur ses principes. Il englobe diverses pratiques et une attention constante à l'entretien de la sérénité spirituelle.

La confiance inébranlable en Dieu est au cœur de cet effort. Proverbes 3:5-6 encourage cette confiance : "Confie-toi de tout ton cœur au Seigneur, et ne t'appuie pas sur ton intelligence ; soumets-toi à lui dans toutes tes voies, et il aplanira tes sentiers." Cette confiance est le socle sur lequel la paix de Dieu s'épanouit, guidant nos pas et rassurant nos cœurs.

Le renouvellement de notre esprit par les promesses de Dieu devient une pratique cruciale. Romains 12:2 met l'accent sur cette transformation : "Ne vous conformez pas au modèle de ce monde, mais soyez transformés par le renouvellement de votre esprit. Alors vous pourrez éprouver et approuver la volonté de Dieu - sa volonté bonne, agréable et parfaite". L'immersion régulière dans les Écritures et la méditation de Sa Parole aident à aligner nos pensées sur la vérité de Dieu, favorisant un état d'esprit propice à l'expérience de Sa paix.

Un engagement constant dans les disciplines spirituelles, telles que la prière, l'adoration et l'étude des Écritures, est vital. Philippiens 4.6-7 souligne l'importance de la prière : "Ne vous inquiétez de rien, mais en toute circonstance, présentez à Dieu vos demandes par des prières et des supplications, avec des actions de grâces. Et la paix de Dieu, qui surpasse toute intelligence, gardera vos cœurs et vos pensées dans le Christ Jésus". Ces pratiques favorisent l'intimité avec Dieu, cultivant un environnement où sa paix peut s'épanouir.

Vivre en accord avec les normes de justice de Dieu est essentiel au maintien de la paix. Romains 12:18 nous exhorte à rechercher la paix avec les autres : "S'il est possible, autant que cela dépend de vous, vivez en paix avec tout le monde." Cela correspond à l'appel à vivre en harmonie avec les autres, en reflétant le caractère de Dieu dans nos interactions et en s'efforçant de se réconcilier lorsque des conflits surviennent.

En cherchant à maintenir la paix - la paix avec Dieu, en nous-mêmes et avec les autres - nous nous mettons en position de recevoir les bénédictions de la paix parfaite de Dieu. Ésaïe 26:3 nous assure de cette promesse : "Tu garderas dans une paix parfaite ceux dont l'esprit est ferme parce qu'ils se confient en toi". Cette paix parfaite devient le fruit de notre recherche intentionnelle de Dieu et de notre engagement à vivre en accord avec ses principes divins.

Chapitre

DEUX

FAIRE L'EXPÉRIENCE DE LA PAIX INCOMPRÉHENSIBLE DE DIEU

*D*ans les annales de l'histoire, à travers les civilisations et les époques, l'humanité a cherché un sanctuaire pour échapper aux mers tumultueuses de l'existence. Au milieu de cette quête perpétuelle, une tranquillité intemporelle et résolue a fait écho - une sérénité insaisissable mais palpable qui dépasse l'entendement des mortels. Cette tranquillité, telle qu'elle est décrite dans Philippiens 4:7, transcende le temporel et le mondain. Elle n'est pas simplement un répit transitoire dans les turbulences de la vie ; elle se dresse comme un bastion ineffable, fortifiant nos esprits au milieu des tempêtes de l'existence.

Des écrits anciens des sages aux sagas des bouleversements historiques, l'aspiration de l'humanité à une paix durable est un refrain constant. Le verset de Philippiens éclaire cette quête inébranlable, offrant un aperçu d'une paix qui défie le flux et le reflux des épreuves terrestres. Il incarne une promesse - une alliance divine - qui dépasse les limites de l'expression mortelle, offrant un réconfort qui échappe à la logique humaine.

Cette paix divine n'est pas une révélation récente ; elle s'inscrit dans le tissu même de l'histoire humaine. Elle résonne dans les anciens psaumes, dans les exhortations des prophètes et culmine dans les enseignements de Jésus. Son essence imprègne les récits des civilisations passées, offrant une lueur d'espoir au milieu de l'adversité.

Dans les échos du Psaume 29:11, l'assurance de la force et de la bénédiction résonne à travers les âges. Elle se répercute dans les profondeurs d'Ésaïe 26:3, promettant une paix inébranlable à ceux qui sont ancrés dans une confiance inébranlable. Ces versets, entrelacés avec des récits historiques et des révélations spirituelles, annoncent la présence d'une paix durable, une paix qui résiste aux tempêtes de l'existence humaine.

Cette paix inexplicable, tissée dans la tapisserie de l'histoire humaine, témoigne d'une promesse qui transcende les époques. Il ne s'agit pas d'un concept éphémère, mais d'un sanctuaire éternel, d'un havre offert par le divin, qui attire l'humanité à travers les générations et les civilisations. C'est l'assurance inébranlable d'une présence qui dépasse l'entendement des mortels, offrant un réconfort au milieu de l'agitation incessante de la vie.

ACCEPTER L'INEXPLICABLE

*D*ans le labyrinthe de la compréhension humaine, la paix de Dieu est une énigme - une tranquillité éthérée qui défie toute élucidation rationnelle. Elle est comme la douce brise qui murmure entre les feuilles, invisible mais profondément ressentie. Cette paix divine, dont il est question dans Isaïe 26:3, transcende la compréhension de l'intellect humain, offrant un réconfort face au tumulte de la vie.

Imaginez un voyageur fatigué traversant une forêt dense, entouré de chaos et d'incertitude. Soudain, au milieu des sentiers enchevêtrés, une clairière sereine émerge, un havre de paix préservé du désordre ambiant. Telle est la paix inexplicable de Dieu - une oasis de calme au milieu des circonvolutions de la vie.

Cette paix n'est pas un concept confiné aux dissertations savantes; c'est une réalité tangible tissée dans les récits de l'existence humaine. Imaginez les tempêtes de l'histoire, les nations qui s'affrontent, les empires qui s'élèvent et s'effondrent. Au milieu de cette tempête, il y a une assurance insondable - une ancre pour l'âme humaine dans le Psaume 29:11, qui promet la force et la paix dans l'étreinte divine.

En termes plus simples, c'est comme si un enfant trouvait du réconfort dans une tempête tumultueuse en s'accrochant à un point d'ancrage sûr. De même, la paix de Dieu, qui dépasse l'entendement humain, devient une ancre pour l'âme au milieu des tempêtes de la vie. Son essence est inscrite dans les Écritures, entrelacée de récits de triomphes, d'épreuves et de foi inébranlable.

Cette paix inexplicable est une présence inébranlable qui invite l'humanité à dépasser les limites de la compréhension. C'est la main divine qui s'étend à travers les complexités de l'existence, offrant une touche rassurante - une présence qui apaise, ancre et transcende les limites de la raison humaine.

2. Dans les sphères de notre existence, une paix profonde se tient en sentinelle au-dessus de la forteresse de notre moi intérieur. Elle agit comme une garde inébranlable, protégeant les complexités délicates de nos pensées, de nos émotions et de notre cœur spirituel. Cette paix, décrite dans Philippiens 4:7, apparaît comme un bouclier impénétrable qui dévie les flèches du doute, de la peur et de l'agitation, garantissant la sainteté de nos cœurs et de nos esprits dans l'étreinte protectrice du Christ Jésus.

Prenons une parabole d'un pays ancien où un gardien vigilant veillait sur les précieux trésors d'un royaume. Tout comme ce gardien protégeait les richesses du royaume contre les maraudeurs, la paix de Dieu se tient comme une sentinelle toujours vigilante, protégeant la sainteté de notre moi le plus profond contre les assauts des incertitudes de la vie.

Ce verset biblique résonne dans les couloirs de l'histoire humaine, comme une promesse éternelle dans les récits anciens et modernes. Il s'apparente à une histoire intemporelle, transmise de génération en génération, d'un protecteur inébranlable offrant un refuge au milieu des tempêtes de l'existence.

Tout comme les murs d'une forteresse abritant les habitants d'un royaume, cette paix divine nous enveloppe, fortifiant nos cœurs et nos esprits. Elle ne se contente pas d'accorder des moments de calme fugaces ; elle tisse un bouclier impénétrable autour de notre être, nous assurant un sanctuaire qui dépasse l'entendement.

Dans la riche tapisserie de l'expérience humaine, cette paix est plus qu'une promesse lointaine ; c'est un gardien toujours présent, offrant un refuge - un sanctuaire dans lequel nos cœurs et nos esprits trouvent réconfort et résilience au milieu des marées incessantes de la vie.

3. Dans les pages de l'existence, une paix insaisissable mais tangible se révèle, une essence énigmatique qui dépasse l'entendement humain. Cette paix, exprimée dans Philippiens 4:7, reste à la portée de ceux qui cherchent le réconfort dans le Christ, les invitant à abandonner leurs fardeaux et leurs incertitudes pour embrasser la profonde tranquillité que Dieu offre.

Imaginez un humble voyageur naviguant dans une forêt labyrinthique, à la recherche d'un sanctuaire caché. Dans une quête similaire, les humains cherchent un refuge contre les tempêtes de la vie, aspirant à une paix qui transcende tout ce que l'homme connaît sous le soleil. Tout comme le voyageur découvre une clairière inattendue offrant un répit, les chercheurs trouvent en Christ un refuge accessible, loin des chemins tumultueux des conflits humains.

Ce verset biblique résonne comme un phare dans les récits de l'existence humaine, s'insérant dans des histoires qui traversent le temps et les cultures. Il s'apparente à une légende séculaire chuchotée de génération en génération, un sanctuaire légendaire où les fardeaux se dissipent et où la tranquillité règne en maître.

Tout comme le sanctuaire inattendu de la forêt, cette paix divine se présente à ceux qui sont prêts à renoncer à leurs angoisses et à leurs incertitudes, en embrassant le profond réconfort que Dieu accorde. Il ne s'agit pas d'un rêve inaccessible, mais d'un refuge tangible, une offrande à ceux qui cherchent un répit au milieu du chaos de la vie.

Dans la grande tapisserie des aspirations humaines, cette paix reste accessible à tous ceux qui contemplent le Christ, les invitant à abandonner leurs fardeaux et à faire confiance à une tranquillité qui transcende l'entendement. Elle se présente comme une invitation, un appel à l'abandon, à la recherche d'un réconfort et d'un sanctuaire dans la paix profonde que seul Dieu peut donner.

S'ABANDONNER À L'INEFFABLE

*I*maginez un marin naviguant sur des eaux dangereuses, dépendant d'une ancre invisible qui stabilise le navire au milieu des vagues turbulentes. De même, la paix de Dieu sert d'ancre imperceptible mais inébranlable au milieu des incertitudes de la vie. Au plus profond de la tourmente, cette paix devient notre amarre invisible, nous ancrant solidement dans l'amour inébranlable et la souveraineté du Christ.

Telle est la nature de la paix dont il est question dans Éphésiens 2:14a - une paix qui agit comme une ancre invisible mais inébranlable pour nos âmes. C'est l'assurance divine qu'au milieu du tumulte de la vie, nous sommes fermement attachés à l'amour et à l'autorité inébranlables du Christ, ce qui garantit que nous ne dérivons pas sans but dans les tempêtes de l'existence.

Les mots de ce verset résonnent comme un phare qui guide, rassurant face aux adversités de la vie. Ils résonnent à travers les couloirs du temps, depuis les récits anciens de conseils au cours de mers tumultueuses jusqu'aux récits modernes de recherche de stabilité au milieu du chaos de la vie.

Cette paix n'est pas un simple réconfort passager ; c'est une force invisible, une ancre qui nous enracine dans l'amour immuable et la souveraineté du Christ. Elle nous tient fermement, nous empêchant d'être emportés par les tempêtes, nous assurant que même au milieu des incertitudes de la vie, nous sommes solidement maintenus.

ACCUEILLIR LE DON INSONDABLE
DE DIEU

*D*ans le labyrinthe de la vie, un cadeau énigmatique nous attend - une paix inébranlable qui échappe à la logique humaine. Cette offrande divine, ancrée dans l'essence de la foi, transcende la compréhension des mortels. C'est un phare au milieu du tumulte de la vie, qui nous guide à travers les incertitudes du labyrinthe. En nous abandonnant à cette paix incompréhensible, nous découvrons un sanctuaire en Jésus-Christ, où les cœurs et les esprits découvrent leur ultime refuge.

Cette paix divine trouve un écho dans les récits bibliques, où son essence illumine des histoires intemporelles. Prenons l'exemple de Noé, qui affronte la tempête dans une arche et trouve la paix au milieu du chaos - un témoignage de la confiance inébranlable en la providence divine. Dans le Nouveau Testament, l'apaisement de la tempête par le Christ sur la mer de Galilée en dit long. Les disciples, submergés par la peur, ont été témoins de l'autorité qui a calmé la tempête, révélant ainsi une paix qui transcende la fureur de la nature.

Alors que nous naviguons dans les complexités de la vie, puissions-nous embrasser ce don divin, en puisant dans les sources de la sagesse et des histoires bibliques pour en comprendre l'essence profonde. Il nous invite à ancrer notre confiance dans le divin, à trouver du réconfort au milieu des vagues incessantes de la vie. C'est dans cet abandon que réside la paix insondable qui transcende les contraintes de la compréhension humaine - une assurance résolue que l'on ne trouve qu'à l'abri de l'étreinte du Christ.

CONCLUSION

CULTIVER LA CULTURE DE LA PAIX

*L*e fait d'embrasser la paix de Dieu au milieu du chaos de la vie nous distingue dans un monde souvent caractérisé par l'agitation. Elle nous invite à élever notre perspective au-delà de la nature éphémère des circonstances et à nous immerger dans les vérités durables que l'on trouve dans le caractère et les promesses de Dieu.

Au milieu des tempêtes de la vie, la paix de Dieu sert de fondement inébranlable. Jean 16:33 renforce cette assurance : "Je vous ai dit ces choses, afin que vous ayez la paix en moi. Dans ce monde, vous aurez des problèmes. Mais prenez courage ! J'ai vaincu le monde". Cette paix ne nous dispense pas des épreuves, mais nous donne la force de les affronter avec une foi inébranlable en Celui qui triomphe de tout.

La paix de Dieu n'est pas simplement un état émotionnel, c'est une force transformatrice qui nous transforme en ambassadeurs de sa paix. C'est cette paix divine qui fortifie nos esprits, renforce notre foi et insuffle l'espoir même au milieu du chaos. Romains 15:13 résume cette espérance : "Que le Dieu de l'espérance vous remplisse de toute joie et de toute paix, lorsque vous vous confiez en lui, afin que vous débordiez d'espérance par la puissance du Saint-Esprit."

Reflétant l'affirmation du psalmiste dans le Psaume 4:8, la paix de Dieu nous offre repos et sécurité au milieu des incertitudes de la vie. Elle devient notre refuge, nous permettant de déposer nos soucis et nos craintes, sachant que nous sommes en sécurité dans son étreinte.

Ne nous contentons pas de rechercher la paix de Dieu pour nous-mêmes, mais devenons les vecteurs de cette paix divine dans un monde qui aspire à la tranquillité. La bénédiction de Nombres 6:24-26 souligne notre rôle dans la diffusion de la paix de Dieu : "Le Seigneur te bénit et te garde ; le Seigneur fait briller sur toi sa face et te fait grâce ; le Seigneur tourne vers toi sa face et te donne la paix."

En partageant nos expériences de la paix de Dieu et les versets réconfortants qui nous ont soutenus dans les moments difficiles, nous construisons une communauté qui témoigne de la force et du réconfort durables que l'on trouve en Dieu. Continuons à rechercher, à partager et à savourer la paix profonde que lui seul peut nous procurer.

FAQ

*A*ssurément, voici une perspective biblique sur chacune des questions fréquemment posées concernant la recherche de la paix en Dieu :

1. Comment puis-je faire l'expérience de la paix de Dieu au milieu du chaos ?

Trouver la paix de Dieu en vous au milieu du chaos est un voyage fondé sur la confiance, la prière et la foi en sa souveraineté.

1. Faire confiance aux promesses de Dieu : Philippiens 4.6-7 nous exhorte à ne nous inquiéter de rien, mais à présenter à Dieu nos demandes avec des actions de grâces, et la paix de Dieu, qui surpasse toute intelligence, gardera nos cœurs et nos pensées dans le Christ Jésus. La confiance en ses promesses favorise une atmosphère où sa paix peut demeurer, malgré le chaos qui nous entoure.

2. La prière : Philippiens 4:6 souligne le rôle de la prière dans l'expérience de la paix de Dieu. Par la prière, nous nous engageons dans une communion intime avec Dieu, nous lui confions nos fardeaux et nous nous ouvrons à sa présence apaisante. C'est dans ces moments de prière que nous invitons sa paix à imprégner nos cœurs et nos esprits.

3. Une foi ancrée dans sa souveraineté : Ésaïe 26:3 nous encourage à nous confier toujours au Seigneur, car il est un rocher éternel. L'ancrage de notre foi dans la souveraineté de Dieu - la nature immuable de son règne sur toutes les circonstances - constitue une base solide, même au milieu du chaos. Cette confiance

inébranlable en son contrôle apporte un sentiment de paix qui transcende le chaos qui nous entoure.

En faisant confiance aux promesses de Dieu, en ayant une vie de prière et en ancrant notre foi dans sa souveraineté, nous créons un environnement où sa paix peut demeurer en nous, quelle que soit l'agitation qui règne dans notre environnement.

2. Trouver la paix en Dieu signifie-t-il l'absence de défis ou de situations difficiles ?

Trouver la paix en Dieu ne garantit pas l'absence de défis ou de situations difficiles. En fait, la Bible reconnaît le caractère inévitable des épreuves dans nos vies.

1. Les difficultés sont inévitables : Jean 16:33 déclare : "Dans ce monde, vous aurez des ennuis." Jésus lui-même nous assure que les difficultés et les défis font naturellement partie de la vie. Cependant, il fait suivre cette reconnaissance d'un message d'espoir : "Mais prenez courage, j'ai vaincu le monde". Malgré ces défis, il nous promet la victoire et sa présence constante pour nous soutenir.

2. La paix de Dieu nous soutient dans les épreuves : Philippiens 4:12-13 souligne cette réalité. L'apôtre Paul raconte qu'il a appris le secret du contentement en toutes circonstances, qu'il soit bien nourri ou affamé, qu'il vive dans l'abondance ou dans le besoin. Il attribue cette capacité à trouver le contentement en toutes circonstances à la force qu'il reçoit du Christ, qui lui donne de l'énergie. Ce verset souligne que la paix de Dieu nous permet de traverser des situations difficiles, en nous donnant la force d'endurer.

La paix de Dieu ne nous dispense pas des défis, mais nous donne les moyens d'y faire face avec résilience et foi. C'est une paix qui reste constante même au milieu des difficultés, nous permettant de trouver le contentement et la force quelles que soient les circonstances.

3. Quelles mesures pratiques puis-je prendre pour cultiver la paix de Dieu dans ma vie ?

Cultiver la paix de Dieu dans nos vies implique des mesures pratiques qui s'alignent sur ses principes et nourrissent une connexion plus profonde avec lui.

1. Renouvellement de l'esprit par la Parole de Dieu : Romains 12:2 nous conseille de ne pas nous conformer aux modèles de ce monde, mais d'être transformés par le renouvellement de notre esprit. En nous plongeant régulièrement dans les Écritures, nous permettons à la vérité de Dieu de façonner nos pensées, nos perspectives et nos réponses aux défis de la vie. C'est par sa Parole que nous gagnons en sagesse, en conseils et que nous comprenons mieux sa paix.

2. Priez sans cesse : 1 Thessaloniciens 5:17 nous encourage à prier continuellement. La prière est une ligne de communication directe avec Dieu, qui favorise l'intimité avec lui. Par la prière, nous exprimons nos préoccupations, nous recherchons sa direction et nous nous ouvrons à sa paix qui surpasse l'entendement (Philippiens 4:6-7).

3. Vivre votre justice : Isaïe 32:17 parle du fruit de la justice comme étant la paix et de l'effet de la justice comme étant la tranquillité et la confiance pour toujours. Vivre en accord avec les normes de justice de Dieu contribue à la paix intérieure. S'efforcer de mener une vie qui reflète son caractère favorise un sentiment d'harmonie en nous-mêmes et avec les autres.

En renouvelant notre esprit par la Parole de Dieu, en nous

engageant dans une prière continue et en recherchant la justice, nous créons un environnement où la paix de Dieu peut s'épanouir en nous. Ces pratiques favorisent une connexion plus profonde avec Lui, et un état de tranquillité qui demeure inébranlable au milieu des incertitudes de la vie.

4. La paix de Dieu est-elle différente du calme temporaire offert par le monde ?

La paix de Dieu contraste fortement avec le calme temporaire offert par le monde. Il existe des différences marquées entre les deux.

1. Surpasse la compréhension du monde : Jean 14:27 souligne que la paix que Jésus donne n'est pas la même que celle du monde. Elle transcende la compréhension du monde. La paix de Dieu ne dépend pas uniquement de circonstances extérieures ou de moments de calme éphémères ; elle est enracinée dans une source profonde et durable que le monde ne peut pas reproduire.

2. Elle procure une tranquillité durable : Philippiens 4:7 souligne encore cette distinction en affirmant que la paix de Dieu transcende toute compréhension et garde nos cœurs et nos esprits. Contrairement à la paix éphémère du monde, qui est souvent liée à des circonstances favorables ou à un soulagement temporaire, la paix de Dieu est inébranlable et durable. Elle reste ferme même lorsque les situations sont tumultueuses.

La paix de Dieu n'est pas simplement un répit momentané dans le chaos. C'est une tranquillité profonde et durable qui vient d'une source divine - une paix qui reste constante au milieu des épreuves et des incertitudes de la vie. Cette paix, enracinée dans le caractère et les promesses de Dieu, devient une ancre inébranlable pour nos âmes, quelles que soient les turbulences qui nous entourent.

5. Comment puis-je me confier à la paix de Dieu lorsque je suis confronté à des circonstances accablantes ?

Se fier à la paix de Dieu dans des circonstances accablantes implique de s'ancrer dans son caractère immuable et de s'appuyer sur ses promesses fidèles.

1. Faire confiance au caractère inébranlable du Seigneur : Proverbes 3:5-6 nous conseille de nous confier au Seigneur de tout notre cœur et de ne pas nous appuyer sur notre intelligence, mais de le reconnaître dans toutes nos voies, et il rendra nos sentiers droits. La confiance dans le caractère immuable de Dieu, dans sa sagesse et dans sa souveraineté nous permet de lui confier nos inquiétudes et nos incertitudes, sachant que ses voies dépassent notre entendement.

2. S'appuyer sur ses promesses, en sachant qu'il est fidèle : Ésaïe 41:10 nous rassure sur la fidélité et la présence de Dieu dans les moments difficiles : "Ne crains pas, car je suis avec toi ; ne sois pas effrayé, car je suis ton Dieu. Je te fortifierai et je te secourrai, je te soutiendrai par ma droite juste". Le fait de nous rappeler ses promesses, telles que sa présence, sa force et son aide, renforcent notre confiance en lui dans les situations difficiles.

En nous appuyant sur le caractère inébranlable de Dieu et en nous ancrant dans ses promesses fidèles, nous cultivons un sentiment de confiance et d'assurance dans sa paix. Cette confiance sert de base solide, nous permettant de naviguer à travers des circonstances accablantes avec confiance et en nous appuyant sur son soutien indéfectible.

6. Quel rôle joue la prière dans l'obtention et le maintien de la paix de Dieu ?

La prière joue un rôle important dans l'obtention et le maintien de la paix de Dieu dans nos vies.

1. Favorise l'intimité avec Dieu : Philippiens 4:6 nous encourage à ne pas nous inquiéter de quoi que ce soit, mais à présenter nos demandes à Dieu avec des actions de grâces. Par la prière, nous nous engageons dans une communion intime avec Dieu. C'est dans cet espace intime que nous partageons nos préoccupations, nos désirs et nos luttes, ce qui favorise une connexion plus profonde avec Lui.

2. Invite sa paix à garder nos cœurs et nos esprits : Philippiens 4:7 illustre magnifiquement le résultat de la prière. Lorsque nous présentons nos demandes à Dieu avec des actions de grâces, la paix de Dieu, qui surpasse toute intelligence, garde nos cœurs et nos esprits dans le Christ Jésus. La prière crée un espace où la paix de Dieu peut demeurer en nous, protégeant nos pensées et nos émotions, même au milieu des défis de la vie.

La prière devient un canal par lequel nous communiquons avec Dieu, en lui déversant nos cœurs et en permettant à sa paix d'imprégner notre être le plus profond. Elle sert de canal d'intimité, nous permettant de faire l'expérience de la présence réconfortante de Dieu et de la tranquillité qu'il est le seul à pouvoir nous procurer.

7. Puis-je ressentir la paix de Dieu même si je suis en proie au doute ou à la peur ?

L'expérience de la paix de Dieu ne dépend pas de l'absence de doute ou de peur. En fait, la paix de Dieu devient une présence réconfortante qui dépasse notre compréhension, même au milieu du doute ou de la peur.

1. Surpasse l'entendement : Philippiens 4:7 nous rassure sur le fait que la paix de Dieu transcende toute intelligence. Cela signifie qu'elle ne dépend pas de nos circonstances, de nos émotions, ni même de nos doutes et de nos craintes. C'est une paix qui dépasse l'entendement humain et qui nous ancre dans les moments d'incertitude.

2. Surmonter le doute et la peur par la foi : Marc 5:36 nous encourage à avoir foi dans les promesses de Dieu, même lorsque nous sommes confrontés à la peur ou au doute. Jésus rassure un père troublé en lui disant : "N'aie pas peur, crois seulement". Cela suggère que même si le doute et la peur existent, notre foi dans les promesses de Dieu et dans son caractère nous aide à naviguer à travers ces émotions, nous conduisant finalement à expérimenter sa paix.

La paix de Dieu devient une présence constante qui nous accompagne à travers nos doutes et nos peurs. Elle ne dépend pas de nos émotions, mais de notre foi en lui. Lorsque nous faisons confiance à ses promesses et que nous nous appuyons sur sa nature inébranlable, sa paix devient une ancre qui nous aide à surmonter la tourmente du doute et de la peur.

8. La paix de Dieu signifie-t-elle que je ne serai jamais inquiet ou troublé ?

La paix de Dieu ne garantit pas une vie exempte d'anxiété ou de problèmes. En fait, la Bible reconnaît l'inévitabilité des défis et des moments de turbulence.

1. Les difficultés font partie de la vie : Jean 16:33 reconnaît que dans ce monde, nous serons confrontés à des difficultés. Ce verset reconnaît la réalité des défis de la vie et des épreuves que nous rencontrons en chemin. Il nous rassure sur le fait que les moments difficiles font inévitablement partie de l'expérience humaine.

2. La paix de Dieu au milieu des difficultés : Philippiens 4.6-7 nous encourage à ne nous inquiéter de rien, mais à présenter à Dieu nos demandes avec des actions de grâces, et la paix de Dieu, qui surpasse toute intelligence, gardera nos cœurs et nos esprits dans le Christ Jésus. Cela montre qu'en dépit de la présence de problèmes, la paix de Dieu agit comme une protection pour nos cœurs et nos esprits, apportant réconfort et assurance au milieu des défis de la vie.

Par conséquent, la paix de Dieu ne nous dispense pas de faire face à des moments d'anxiété ou à des problèmes. Au contraire, elle devient une source de force et de réconfort qui protège nos cœurs et nos esprits, nous procurant un sentiment de tranquillité et d'assurance même au milieu des difficultés de la vie.

9. Comment puis-je reconnaître ou discerner la paix de Dieu dans ma vie ?

Reconnaître la paix de Dieu dans votre vie, c'est remarquer le profond sentiment de satisfaction, de sécurité et d'assurance qu'elle vous apporte, en particulier au milieu des incertitudes de la vie.

1. Le contentement et la sécurité : Philippiens 4:12-13 révèle que par le Christ, Paul a trouvé le contentement dans toutes les situations, que ce soit dans l'abondance ou dans le besoin. Ce contentement découle d'une confiance profonde dans la provision et la souveraineté de Dieu. Le Psaume 4.8 fait écho à ce sentiment, affirmant que dans la paix, on peut se coucher et dormir en sécurité, car c'est le Seigneur qui les fait habiter en sécurité.

2. Au milieu des incertitudes de la vie : La paix de Dieu se manifeste par un sentiment de calme et de confiance qui surpasse l'imprévisibilité de la vie. C'est un sentiment d'assurance qui vient

de la confiance dans le caractère immuable de Dieu et dans ses promesses, quelles que soient les circonstances changeantes.

Reconnaître la paix de Dieu implique souvent d'observer un sentiment intérieur de sérénité et de confiance qui ne dépend pas de facteurs externes. Il s'agit d'une assurance profonde que, malgré les incertitudes de la vie, il existe une constance et une sécurité dans la présence et les promesses de Dieu. Cette reconnaissance peut se traduire par un profond sentiment de satisfaction et une confiance inébranlable dans la fidélité de Dieu, même lorsque tout ce qui nous entoure semble incertain.

10. La paix de Dieu est-elle quelque chose que seules les personnes spirituelles ou religieuses peuvent expérimenter ?

Le caractère inclusif de la paix de Dieu transcende les frontières, embrassant des personnes de tous horizons, indépendamment de leurs antécédents spirituels ou religieux. Elle reflète l'amour et la grâce illimités de Dieu, accessibles à tous ceux qui le cherchent sincèrement.

L'invitation de Dieu à faire l'expérience de sa paix ne se limite pas à ceux qui se situent dans un cadre religieux spécifique. Au contraire, elle s'étend aux personnes qui explorent la foi, remettent en question leurs croyances ou recherchent l'épanouissement spirituel à partir de diverses perspectives. Cette accessibilité à la paix de Dieu témoigne de l'universalité de son amour et de la profondeur de son désir d'établir une relation avec chaque individu.

Cette inclusivité reconnaît également que les personnes peuvent rechercher la paix de Dieu par des voies différentes. Certains peuvent s'approcher par le biais de pratiques religieuses établies, tandis que d'autres peuvent chercher dans les recoins calmes de leur cœur, par le biais d'une enquête philosophique ou d'expériences de vie qui attisent la curiosité pour quelque chose de plus profond.

La paix de Dieu devient un refuge pour ceux qui sont fatigués par les luttes de la vie, une étreinte réconfortante pour les âmes troublées et une source de force pour ceux qui naviguent dans l'incertitude, quel que soit leur arrière-plan spirituel ou leurs croyances religieuses. Il témoigne de la volonté de Dieu de rencontrer les gens où qu'ils soient et de leur offrir le réconfort, l'espoir et la paix qu'ils recherchent.

ANNEXE

*I*l y a quelques annexes ou ressources supplémentaires qui pourraient compléter le livre "Embrasser la tranquillité : Découvrir la paix de Dieu au-delà des croyances" :

Annexe A : Exercices de méditation guidée
Explorez notre série de pratiques de méditation guidée (livres et blogs) conçues pour aider les individus à faire l'expérience de la paix intérieure. Ces exercices englobent diverses techniques adaptées aux différentes préférences, contribuant à favoriser un sentiment de tranquillité plus profond.

Versets bibliques :
- Psaume 46:10 - "Restez tranquilles et sachez que je suis Dieu".
- Philippiens 4:8 - "Enfin, frères et sœurs, tout ce qui est vrai, tout ce qui est noble, tout ce qui est juste, tout ce qui est pur, tout ce qui est aimable, tout ce qui est digne d'admiration, tout ce qui est excellent ou digne de louange, pensez-y".

Annexe B : Questions pour le journal de réflexion
Une collection d'incitations à la réflexion pour encourager la réflexion personnelle et l'introspection. Ces messages sont conçus pour guider les lecteurs dans la contemplation de leurs expériences, de leurs croyances et de leurs perceptions de la paix et de la spiritualité.

Versets bibliques :
- Psaume 139, 23-24 - "Sonde-moi, Dieu, et connais mon cœur ; éprouve-moi et connais mes pensées inquiètes ; vois s'il n'y a pas en moi quelque chose d'injurieux, et conduis-moi dans le chemin de l'éternité. Regarde s'il n'y a pas en moi de mauvaise voie, et conduis-moi sur le chemin de l'éternité."

- Proverbes 20:5 - "Les desseins du cœur d'une personne sont des eaux profondes, mais celui qui a de la perspicacité les fait sortir".

Annexe C : Liste de lectures recommandées
Une liste de livres, d'articles et de ressources écrits par Alain Lea pour une exploration plus approfondie. Cette collection couvre diverses perspectives sur la paix, la spiritualité et l'intersection de la foi et du développement personnel.

Versets bibliques :
- Psaume 119:105 - "Ta parole est une lampe pour mes pieds, une lumière sur mon sentier".
- 2 Timothée 3:16-17 - "Toute Écriture est inspirée par Dieu et utile pour enseigner, reprendre, corriger et former à la justice, afin que le serviteur de Dieu soit parfaitement équipé pour toute bonne œuvre".

Livres disponibles pour vous dès maintenant : Le Vide 1&2, Cœur à Cœur, Se Libérer des Peurs, Et Maintenant, Le Regard Sacré...

Annexe D : Ressources communautaires et en ligne
Une compilation de groupes communautaires, de forums et de réseaux de soutien pour les personnes à la recherche d'une communauté pour explorer et discuter des questions de foi, de paix et de spiritualité dans un environnement inclusif et favorable.

Contactez-nous si vous souhaitez écouter les podcasts ou les messages en direct du fils de Dieu Alain Lea avec CIAN.

Versets bibliques :
- Romains 12:4-5 - "En effet, de même que chacun de nous a un seul corps composé de plusieurs membres qui n'ont pas tous la même fonction, de même, dans le Christ, nous formons, à plusieurs, un seul corps, et chaque membre appartient à tous les autres".
- Hébreux 10:24-25 - "Examinons comment nous pouvons nous

stimuler les uns les autres à la charité et aux bonnes œuvres, sans cesser de nous réunir, comme certains en ont l'habitude, mais en nous encourageant les uns les autres, et cela d'autant plus que vous voyez s'approcher le jour".

- Proverbes 4:7 - "Voici le commencement de la sagesse : Acquiers la sagesse. Même si cela te coûte tout ce que tu as, acquiers de l'intelligence."

- Jacques 1:5 - "Si quelqu'un d'entre vous manque de sagesse, qu'il la demande à Dieu, qui donne à tous généreusement et sans faire de reproche, et elle lui sera donnée".

Annexe E : Ecritures et versets sur la paix
Un index des écritures et des versets clés qui mettent l'accent sur le thème de la paix. Ce recueil offre aux lecteurs une collection variée de textes sacrés mettant en lumière la paix universelle qui n'existe qu'en Dieu, dans le Christ :

1. Jean 14:27 "Je vous laisse la paix, je vous donne ma paix. Je ne vous la donne pas comme le monde la donne. Que votre cœur ne se trouble pas et que vous n'ayez pas peur.

2. Isaïe 26:3 "Tu gardes dans une paix parfaite ceux dont l'esprit est ferme, parce qu'ils se confient en toi."

3. Philippiens 4:6-7 "Ne vous inquiétez de rien ; mais en toute circonstance, présentez à Dieu vos demandes par des prières et des supplications, avec des actions de grâces. Et la paix de Dieu, qui surpasse toute intelligence, gardera vos cœurs et vos pensées dans le Christ Jésus."

4. Romains 15:13 "Que le Dieu de l'espérance vous remplisse de toute joie et de toute paix lorsque vous vous confiez en lui, afin que vous débordiez d'espérance par la puissance de l'Esprit Saint."

5. Psaume 29:11 "Le Seigneur donne la force à son peuple, le Seigneur bénit son peuple par la paix".

6. Nombres 6:24-26 "Que le Seigneur te bénisse et te garde ; que le Seigneur fasse briller sa face sur toi et te fasse grâce ; que le Seigneur tourne sa face vers toi et te donne la paix".

7. Jacques 3:18 "Les pacifiques qui sèment dans la paix récoltent une moisson de justice."

8. Colossiens 3:15 "Que la paix du Christ règne dans vos cœurs, puisque vous avez été appelés à la paix en tant que membres d'un seul corps. Et soyez reconnaissants."

9. Psaume 4:8 "Je me couche et je dors en paix, car toi seul, Seigneur, tu me fais habiter en sécurité."

10. 1 Pierre 5:7 "Rejetez sur lui toutes vos inquiétudes, car il prend soin de vous".
Bien sûr ! Voici dix autres passages et versets de la Bible qui tournent autour du thème de la paix :

11. Matthieu 5:9 "Heureux les artisans de paix, car ils seront appelés enfants de Dieu".

12. Psaume 85, 8 : " J'écouterai ce que dit le Seigneur : il promet la paix à son peuple, à ses fidèles serviteurs, mais qu'ils ne se tournent pas vers la folie ".

13. Proverbes 16:7 "Quand le Seigneur prend plaisir à la conduite de quelqu'un, il fait en sorte que ses ennemis fassent la paix avec lui."

14. Ephésiens 2:14 "Car c'est lui qui est notre paix, lui qui a fait des deux groupes un seul, et qui a détruit la barrière, le mur de séparation."

15. Isaïe 32:17 "Le fruit de cette justice sera la paix, son effet sera

la tranquillité et l'assurance pour toujours."

16. 1 Corinthiens 14:33 "Car Dieu n'est pas un Dieu de désordre, mais de paix, comme dans toutes les assemblées du peuple du Seigneur."

17. Hébreux 12:14 "Efforcez-vous de vivre en paix avec tous et d'être saints ; sans la sainteté, personne ne verra le Seigneur".

18. Philippiens 4:9 "Tout ce que vous avez appris, reçu, entendu de moi ou vu en moi, mettez-le en pratique. Et le Dieu de la paix sera avec vous."

19. Galates 5:22-23 "Le fruit de l'Esprit, c'est l'amour, la joie, la paix, la longanimité, la bonté, la fidélité, la douceur et la maîtrise de soi. Contre de telles choses, il n'y a pas de loi".

20. 2 Thessaloniciens 3:16 "Que le Seigneur de la paix vous donne lui-même la paix en tout temps et en toute circonstance. Que le Seigneur soit avec vous tous.

L'INVITATION ULTIME

Cher Père, dans la liberté de ton amour infini et dans la sécurité de ton étreinte divine, je reconnais que Jésus-Christ est ton Fils éternel. Je me suis perdu dans mes propres ténèbres, au lieu de vivre dans ta joie, je suis devenu infirme à l'intérieur. Au lieu de recevoir ton amour, mon âme a été perturbée. Aujourd'hui, je reconnais et je crois que la vie de Jésus, depuis sa naissance jusqu'à son assise à la droite de Dieu, a été "vicariante". J'ai été crucifié avec Jésus, je suis mort sur la croix avec lui, j'ai été enterré avec lui, le troisième jour j'ai été ressuscité d'entre les morts avec lui, je suis monté en haut avec Jésus et je suis assis à ta droite avec lui. Je reconnais dans mon cœur et j'accepte le fait que Jésus-Christ est le Seigneur de tous et au-dessus de tous !

Je me donne à toi par amour aujourd'hui, comme tu t'es donné par amour pour moi et à moi. Me voici, Père, Jésus et Esprit Saint, AIMÉ. Amen !

(Bienvenue au retour de vos vrais sens !)
Bienvenue au recouvrement de votre véritable filiation !
Heureux retour à véritable filiation !

Le Père, le Fils et le Saint-Esprit vous accueillent et célèbrent votre retour (retour à la juste conscience de vos origines et de votre identité). Vous participez à l'œuvre salvatrice et à la Vie de Jésus-Christ. Le voyage d'amour et de découverte a commencé. Il est important pour vous de grandir continuellement dans la connaissance de l'amour, de la personne et de l'œuvre achevée de Jésus-Christ en laissant votre âme se nourrir des paroles de la grâce. Car vous avez été crucifiés avec le Christ, ce n'est plus vous qui vivez, c'est le Christ qui vit en vous. C'est pourquoi les termes co-crucifié et vivant avec le Christ vous définissent maintenant.

Le Christ en vous et vous en lui. C'est une bénédiction de savoir que la vie que vous vivez est entièrement due à la foi d'un autre (Jésus-Christ). Il a assuré vos arrières du début à la fin. Vivez votre vie en vous laissant envahir par l'opinion que Dieu a de vous.

Je vous suggère de rechercher une communauté centrée sur le Christ, où les croyants se réunissent pour approfondir les enseignements de Jésus, de son Père et du Saint-Esprit. C'est ainsi que vous découvrirez votre véritable identité et réaliserez les abondantes bénédictions inhérentes à votre union avec Dieu. Accueillez et célébrez chaque jour votre place dans la famille de Dieu, en honorant la richesse de ce que vous êtes déjà dans son étreinte divine.

Vous comptez pour Dieu !

À PROPOS DE L'AUTEUR

Alain Lea, ambassadeur mondial de l'Évangile trinitaire, parcourant les continents depuis plus d'une décennie, illuminant le monde avec la profonde simplicité de la Vérité de l'Évangile. En tant que directeur estimé de Christ In All Nations, l'apôtre Lea a encadré et équipé une multitude de ministres aux États-Unis et dans le monde entier. Ses disciples, dispersés dans le monde entier, transmettent avec ardeur le message divin à des millions de personnes en quête de la révélation des fils de Dieu.

Auteur illustre, Alain Lea a écrit toute une série de livres qui ont eu un impact, depuis l'éclairant "Regard Sacré" jusqu'aux volumes de réflexion "Le Vide 1&2", en passant par "Et Maintenant", "Se Libérer des Peurs" et "Cœur à Cœur". Ses prouesses littéraires, alliées à une compréhension inégalée de l'Évangile et des subtilités de la souffrance humaine, ont inspiré la diversité de ses œuvres littéraires.

Tout au long de son service dévoué au Seigneur et à l'humanité, Alain Lea a méticuleusement élaboré une vaste gamme de matériel d'enseignement sous forme imprimée, audio et vidéo. Son ministère distribue avec ferveur et gratuitement ces ressources inestimables, répondant ainsi à la faim spirituelle de ceux qui sont à la recherche de l'amour illimité de Dieu.

Pour toute demande de renseignements ou de contacts, Alain Lea se tient à votre disposition à l'adresse infos@christinallnations.org, toujours animé par son engagement inébranlable à partager l'amour et la sagesse de Dieu avec le monde.